關羽走麥城

導讀文字∶金　朝

繪　圖∶李成立

萬里機構・萬里書店出版

編輯：莊澤義・王淑萍
書名題簽：黃　天

⑦「古書今讀」之《漫畫三國演義》系列
關羽走麥城

導讀文字
金　朝

繪　圖
李成立

出版者
萬里機構・萬里書店
香港九龍土瓜灣馬坑涌道5B-5F地下1號
電話：25647511
網址：http://www.wanlibk.com
電郵地址：wanlibk@enmpc.org.hk

發行者
萬里機構營業部
香港九龍土瓜灣馬坑涌道5B-5F地下1號
電話：25623879　　傳真：25909385

承印者
美雅印刷製本有限公司

出版日期
一九九五年七月第一次印刷
一九九九年八月第五次印刷

古書今讀叢書

　　我們的國家，有著數千年的文明。這數千年的文明，用各種各樣的方式記載下來，我們在神州大地上遊覽，為甚麼腳步不時會不由自主地再三猶疑，不忍遽然離去？那就是因為，中華民族的數千年文明以各種面貌出現在我們的跟前，或者是肅立的一個亭子，或者是既流動又凝固了的書法，或者是一彎雖然已經老去卻仍在努力的小橋，甚至，那不過是一塊不起眼的殘片，只是，對我們來說，這已經足夠。

　　我們當然不會忽略書籍這樣的一種載體。能夠一直流傳下來的老書，就是古書了。古書，我們不會嫌多；事實上，流傳下來的古書也是不多的。這事情裏面，有著一種必然，那是大浪淘沙的必然。大浪，沒有把一切都淘空淘盡，而且讓我們曉得了，甚麼是值得好好珍惜的寶貝。

　　文明與智慧同在，文明也與寬容同在。時間的流灑，是一種滋潤，使我們的寶貝愈發有著動人的光澤，愈是親炙這樣的寶貝，我們便愈是容光煥發。「古書今讀叢書」出版的目的，便是希望藉著這套叢書的出版，使更多的讀者能親炙這樣的寶貝，得到不同程度的潤澤。由於種種原因，今人讀古書，會有這樣那樣的困難，成為一種阻隔，所以我們以導讀文字輔以漫畫的方法，構築成一彎「拱橋」，讓讀者能愜意地走過去，只要一伸手，就可以觸及那光澤。毫無疑問地，構築這樣的一道「拱橋」，是一項大工程。我們不希望曲解古書，也不要隨意或任意的所謂闡釋，但與此同時，又要於讀者有用，因為這樣，工夫就多了。工夫雖然多，我們樂於這樣去做，同時深願讀者也樂於見到這套叢書的出版，甚麼時候，也為這「拱橋」鼓鼓掌。

出版說明

華佗

關羽走麥城

劉備

關羽

龐德

徐晃

呂蒙

3

《三國演義》主要人物

名、字、號簡表

名	字	號,以及書中對他的其他稱呼
劉備	玄德	劉皇叔、劉豫州、先主
關羽	雲長	美髯公、漢壽侯
張飛	翼德	
董卓	仲穎	董太師
呂布	奉先	呂溫侯
曹操 (小名:阿瞞)	孟德	老瞞、曹老瞞
孫策	伯符	小霸王
孫權	仲謀	碧眼兒
徐庶	元直	
諸葛亮	孔明	伏龍、臥龍先生、武鄉侯
趙雲	子龍	
魯肅	子敬	
周瑜	公瑾	周郎、周都督
黃蓋	公覆	
龐統	士元	鳳雛先生
張遼	文遠	
魏延	文長	
黃忠	漢升	
馬超	孟起	
楊修	德祖	
司馬懿	仲達	
龐德	令明	
呂蒙	子明	
陸遜	伯言	
曹丕	子恒	
姜維	伯約	
劉禪	小字阿斗,公嗣	後主
廖化	元儉	
鍾會	士季	鍾司徒
鄧艾	士載	

目　次

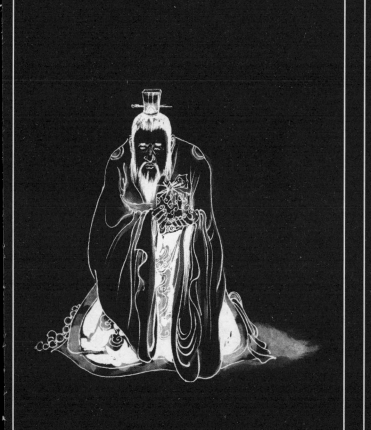

一

曹操取東川

劉備爲甚麼會有空間？

劉備得了西川之後，魏（曹操）、蜀（劉備）、吳（孫權）鼎足而三的局面漸漸形成。

曹操在幫劉備的大忙

就本來的形勢而論，應該對劉備是最不利的，他以弱勝強，到後來的轉弱爲強，都是很不容易的。這裏面，有着很根本的兩條，第一是劉備得到不少能人異士的幫助，第二是存在着一個讓他得以發展的空間。

這裏說一說第二點。劉備在得到西川之前，無論對着孫權還是對着曹操，在軍力上，都是遠遠有所不及的，更不要說曹操與孫權聯手了。可是，幾乎是不約而同地，曹操也好，孫權也好，都不能集中力量去對付劉備；曹操固然受到孫權的牽制，孫權更是得提防曹操——像這樣的例子便不止發生一次的了，孫權要攻劉備，但曹操卻要起兵伐孫權，於是孫權便馬上得回過頭來應付曹操，無暇理會劉備了。乍看起來，似乎曹操是在幫劉備的大忙呢！

孫權曹操的並存並鬥

出現這樣的情況，很大的一個原因，是由於劉備的力弱，而曹操和孫權都要爭天下，互相把對方視爲主要

對手，這末一來，劉備便有空子可鑽了。當然，劉備這個空子也要鑽得乖巧，這一點，有了孔明等能人異士的幫助，便根本不會有問題。

孫權的力量還不足以壓倒曹操，而孫權自己又有了大江作為天險，使曹操有所顧忌，在一個時期之內，兩者並存並鬥，劉備便有了一個很好的空間了。

劉備得了西川，因為同樣擁有天險作為屏障，所以無論孫權也好，曹操也好，都不能輕言進攻，這樣就使劉備有了一個休養生息的機會。

曹操要以勝兵攻西川

我們看到，劉備每行一步，都是那樣的小心謹慎，計算要絕對的準確，因為，在他來說，即使是小錯，都會招來很大的麻煩。這要有足夠的容忍，足夠的堅韌，雖然劉備當中也曾發脾氣，但總算還不是大發脾氣，不足以亂大局。從小到大，從弱到強，又怎會是簡單的事？不過，劉備告訴我們，這不是沒有可能的。

到了劉備得西川之後，情形顯然是大不相同了。曹操要攻劉備，也得先從東川入手，得取張魯的東川，再以勝兵攻西川。《三國演義》裏，勝兵的銳氣，是一再地被強調了的。可是，另一方面，我們也看到了，曹操攻劉備，也得那樣的講究，確是說明了劉備再非弱者了。

得了隴還要不要望蜀①

在東川，也就是叫做隴的地方，曹操遇上了張魯的頑抗，而且張魯也故意挑選了地勢險要的地方來與曹操對陣，這也是叫曹操大皺眉頭的，他甚至說出了早知這末險要便不出兵到此的話。曹操強攻不下，後來只得佯作退兵，使對方鬆懈，其實卻派兵繞到對方的背後施以**襲擊**，他也是靠這樣打破了張魯的缺口的。

取得東川之後，曹操卻改變了初衷②，沒有以勝兵攻打西川，他還說，既得了隴，還要望蜀麼？結果他在東川按兵不動。曹操挾天子以令諸侯，位高權重，在此行之前，他還逼令皇帝讓他的妹妹當上了皇后，可以說是權傾一時，然而他的氣勢反而沒有往日那樣的凌厲了；他背後有了大量的財與勢，又怎會破釜沉舟③？從某個角度看，財與勢，也是一種負累呢！

①得隴望蜀：典故出自《後漢書‧岑彭傳》：「人苦不知足，既平隴，復望蜀。」已經取得了隴右，還想攻取西蜀。比喻得寸進尺，貪得無厭。

②初衷：最初的心意。

10

先取東川，再乘勝拿下西川。

夏侯惇獻計。

曹操見劉備佔了西川，忙召集羣臣商議對策。

曹仁、夏侯惇在後押送糧草！

是！

夏侯淵、張郃為前部先鋒！

是！

曹操親率中軍西征！

11

報！夏侯淵、張郃離關十五里下寨。

張魯派弟弟張衛和大將楊任、楊昂到陽平關紮寨，抵禦曹操。

夜，火光沖天，二楊帶兵劫寨。

殺！殺啊！

曹軍勞頓疲乏，我們前去劫寨，必能獲勝！

好計！

曹兵大敗，夏侯淵、張郃騎馬而逃。

臨戰先斬大將，於戰事不利！

推出斬了！

夏侯淵、張郃來見曹操。

營寨如此堅固，很難攻下！

好吧！饒你二人！

謝丞相！

第二天，曹操帶許褚、徐晃偷看張衛營寨。

抓住曹操，大大有賞！

突然，楊昂、楊任分兩路殺來。

不好！快走！

徐將軍，你保丞相回寨，我來抵擋！

楊昂、楊任殺不過許褚，只得退去。

14

兩軍相持了五十多天。

退兵！

勝負未分，丞相
爲甚麼突然
退兵？

謀士賈詡不解。

敵人防備森
嚴，一時很難
取勝。我假
作退兵，令
敵不防！再
派輕騎偷襲，
定能獲勝！

你倆各
率精兵
三千，
從背後
抄襲陽
平關！

是！

15

楊將軍回來了嗎?

霧中,夏侯淵率軍誤入楊昂原寨。

殺!

殺啊!

啊!曹軍!快逃!快逃命!

夏侯淵、張郃將楊任殺退。

天亮霧散，楊任帶兵前來救援。

楊昂回兵，被張郃一槍刺死。

張衛、楊任棄了陽平關，逃回漢中。

曹操取了陽平關，直逼漢中。

我是大將龐德，誰敢會我？

張郃、夏侯淵、徐晃、許褚和龐德輪番作戰。

龐德是員勇將，想法擒住他，讓他歸順！

是！

龐德確實武藝高強！

張魯的謀士很貪財，只要……

用甚麼計策能使他投降呢？

再交鋒時詐敗棄寨，夜間再去劫寨，龐德定會退入城內，使者便可混進城去！

妙計！不過使者怎能進城呢？

好！

張郃、夏侯淵領兵遠設埋伏!

是!

徐晃領兵前去挑戰,詐敗棄寨!

是!

徐晃和龐德交戰不多時,便佯敗逃走。

龐德一舉奪寨,設宴慶賀。

夜間，張郃、夏侯淵、徐晃三路人馬前來劫寨。

龐德退回城中，使者乘機混進城去。

請告訴魏公，我一定効力！

楊松閱畢密信

楊松見張魯。

龐德接受曹操賄賂……

龐德，你竟敢受賄賣陣，推出斬首！

龐德忿忿離去。

好吧！暫且不殺！明天不勝必斬！

閻圃苦苦勸諫。

24

第二天，曹軍攻城，龐德領兵出戰！

龐德和許褚交鋒，許褚詐敗。

龐德，你快投降吧！

抓住曹操，勝過一千員上將！

曹操立即猛攻漢中。

軍士押龐德來見曹操，曹操親釋其縛。

我願意歸降丞相。

張魯封存倉庫府庫，棄城逃往巴中。

曹操攻佔漢中。又乘勝攻巴中，張魯投降。

楊松賣主求榮，推出斬首。

丞相乘勝進兵西川，一舉可定！

老者爲主簿司馬懿。

人應該知足，不能得隴望蜀！

司馬主簿的主意很好，望丞相採納！

將士們太勞苦了，需要休整，不宜出兵。

劉曄勸曹操出兵。

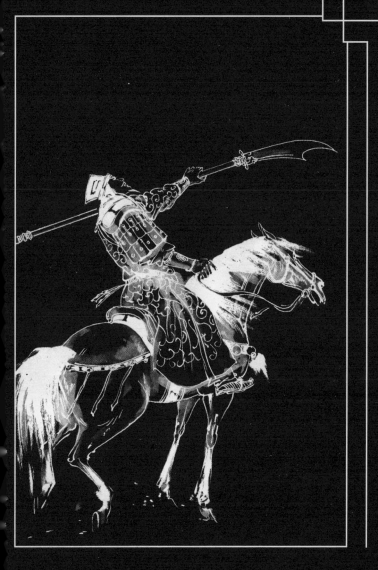

二

威震逍遙津

剖析孔明這一次的神機妙算

曹操取東川，志在西川，這一點是很明顯的。他沒有立即以勝兵打西川，無疑是給劉備轉圜的機會。

似乎俱備了天生異能

劉備問計於孔明，孔明的答案是，調動孫權，幫助劉備退曹兵。

曹操固然要對付劉備，但孫權也說不上是劉備的朋友，他又怎會幫助劉備退曹兵呢？

可是，孔明卻偏偏要調動孫權。

我們看到，孔明調動孫權，不是為了逞能，而他也不是一個有着天生異能的人。戰場上的將士，頗有不少是為了逞能而一拚的，作為領導者，如果能很好利用將士的這種心理，是會發揮理想的效果的，在某個層面上，戰場是爭雄之地，將士沒有了爭雄之心，沒有了逞能之志，那反而是壞事而不是好事。

曹操和孔明都在計算

然而，孔明不是一般的將士，他是軍師，在某些時候，他是比劉備更為重要的領導者。孔明不逞能，是為了有這末一個身分，又不僅僅是為了有這末一個身分。光是有那末一個身分是不夠的，名不副實的事，我們還

看得不多嗎？另一方面，有了那末一個本事，卻欠缺了那末的一個身分，也是不容易發揮作用的。

孔明本事有了，身分也有了，他對劉備說：「亮有一計，曹操自退。」正如上面所說的，孔明——諸葛亮的計策，就是要調動孫權，逼使曹操退兵。

倘若孫權願意出兵對付曹操，事情便會變得很簡單。雖然荊州的關雲長手上也有兵，但那僅足以守，不足以攻；劉備這一邊，剛剛得到西川，還沒有穩定下來，馬上與曹操對抗，可以說正合了曹操的計算。曹操會計算，孔明當然也是會計算的。

幫了劉備也幫了自己

可是，另一個關鍵人物也是會計算的，他就是孫權。我們知道，孫權接下來真的出兵合淝，牽動了曹操，使曹操的自東川退兵，劉備的威脅便得到了緩解。

曹操屯兵合淝，目的就是對付孫權；孫權始終是曹操的心腹大患之一，孫權不會讓曹操好過，而，曹操也是不會讓孫權好過的。曹操屯兵合淝的目的，孫權自然是清楚的。

孔明請孫權出兵合淝，孫權也知道那是為了牽制東川的曹操，可是與此同時，他也明白，趁曹操人在東川，合淝空虛，進兵奪取之，確是一個好時機，這也就

是，爲了自己，孫權也是應該進兵合淝。

敵對雙方也有共同點

孔明能夠調動得起孫權，這無疑是很重要的一點；簡單地說，孔明的計算也就是孫權的計算。孔明找到了自己與孫權的共同利益，化不可能爲可能。原來，在某個時候，劉備與孫權確是有共同利益的。世界上的事情也往往是這樣，我們以爲是不可能的事，只是由於我們的目力不足，看不見那個共同點而已。即使是敵對的雙方，在某個時候，在某事情上，也是可能有共同點的，倘若我們能夠連這也用上了，那末我們的力量便肯定會大得多，也肯定要比敵人大得多，要制敵致勝，把握便大了。

孔明還加上了一條，那就是把荆州的三個郡先還給孫權，如果曹操自東川退兵，劉備把東川也拿了過來，那便把整個荆州都還給孫權了。

一借一還都具見功夫

劉備借了孫權的荆州，說借，那是因爲當時在實力上，不足以佔有，否則便只有增加孫權對劉備的敵意，對劉備而言，那是划不來的。現在，劉備的實力明顯强

大了，卻在這個事情上主動提出先還三郡，後還完璧①，孫權便是十分受用的。這裏面的一借一還，都具見功夫。

於是，孫權出兵合淝，於是，我們便會說，孔明真是神機妙算。

後來，孫權在合淝的逍遙津兵敗於曹操的張遼，回到濡須，經過一番整頓，再度興兵，由於來勢洶洶，張遼立即向曹操請救兵，這樣，在權衡輕重之後，曹操便自令四十萬大軍，從東川趕往合淝去了！

①完璧：典故出自《史記‧廉頗藺相如列傳》。意思指借來的物件歸還物主時完好無損。

曹操已取東川，百姓驚恐，怎麼辦？

只要將江夏、長沙、桂陽三郡送還東吳，請孫權出兵合肥，曹操只好退兵！

好計策！但派誰去東吳呢？

我去！

伊籍自告奮勇。

好！你先到荊州通知關羽，再去東吳！

是！

你來幹甚麼？

你先去休息，我商量後再答覆你。

伊籍說明來意。

這雖是諸葛亮之計，但此時曹操在漢中，我們乘虛取合肥，也是上策。

我答應出兵，你請回吧！

孫權召見伊籍。

伊籍退出，孫權立即召衆謀士商議。

35

孫權把大將呂蒙、甘寧、凌統調回。

皖城是合肥的糧倉，可先攻皖城，再攻合肥！

好！

孫權派呂蒙、甘寧爲先鋒，親率大軍進攻皖城。

皖城太守朱光固守待援。

豎雲梯，造虹橋，居高臨下攻擊！

在城外築起土山進攻。

朱光堅守不出，怎麼辦？

這些辦法太費時間。我軍士氣正盛，奮力攻擊，一定能攻克皖城。

好！

第二天，東吳大軍奮力攻城。

甘寧揮鍊擊倒朱光。

甘寧身先士卒冒矢石而上。

衝啊—

呂蒙擊鼓助威。

殺啊—

亂刀殺死朱光。

孫權得了皖城，讓呂蒙設宴慶功！

將軍頭功，請上座！

呂蒙禮讓甘寧。

凌統席前舞劍。

凌統他不懷好意。

甘寧太得意了！我要殺了他，報殺父之仇！

我來舞戟。

甘寧持雙戟出。

39

我只防身，不能再傷害他！

殺父之仇，怎能不報！

兩公雖能，不如我巧。

呂蒙分開二人。

我常叫你倆不記舊仇，今日為何又這樣？心齊則勝！今後不許內訌！

孫權聞訊而來。

第二天，孫權率軍殺向合淝！

報！丞相派人送來木匣一個！

皖城失守，怎麼辦？

合淝守將是曹操的大將張遼。

這天，孫權大軍已近合淝，張遼打開木盒，裏面是一張帖子。

如孫權至、張、李出戰，樂守城！

41

將軍準備怎麼辦?

張遼把字帖給李典、樂進看。

發兵迎戰,給孫權一個下馬威!

敵眾我寡,不如堅守!

李典與張遼不和,默不作聲。

你們如此自私,不顧公事。你們守城,我去和孫權決一死戰。

將軍這樣忠勇，我豈能計較個人恩怨，願聽將軍指揮。

李典自覺慚愧。

好！你帶兵去逍遙津北埋伏，等吳兵過了小師橋，拆橋截斷他們的退路！

是！

樂將軍，你領兵迎戰，把吳兵引至逍遙津，我自領兵接應。

是。

樂進和甘寧交鋒。

樂進和東吳前鋒呂蒙、甘寧相遇。

樂進，你往哪裏逃！

孫權率中軍也追到逍遙津北。

樂進詐敗。

44

轟！
轟！轟！

張遼、李典從左、右殺來。

孫權，你往哪裏逃？

我擋住張遼，主公快過橋。

凌統攔住張遼廝殺。

孫權來到橋頭。

啊！這怎麼辦？

主公勒馬退後幾步，跳過河去！

徐盛、董襲駕船趕到，接應孫權上船。

孫權縱馬跳過斷橋。

46

甘寧、呂蒙引兵回救，被李典、樂進前堵後追，損失慘重！

凌統和谷利被張遼殺敗，沿河奔逃。

兩位將軍，快上船！

孫權下令將船攏岸。

呂蒙、甘寧拚死逃回河南。

張遼大獲全勝，收兵回城。

孫權從江南調來人馬，準備再攻合肥。

孫權收拾殘兵，回兵濡須。

曹操率四十萬大軍，離開漢中，前往救援。

張遼派人向曹操告急。

三

濡須之戰

暗裏有着這末一條規律

曹操大軍壓境，孫權聽從了謀士的意見，所做的第一件事，便是挫其銳氣。

曹操大軍挾銳氣而來

軍隊初上戰場，一鼓作氣，總是新銳的。有的主帥喜歡利用這樣的新銳之氣，以達到速戰速決的目的。

孫權針對這一點，反過來要挫曹操的銳氣，如果做得到的話，此消彼長，對孫權來說，接下來的戰事便較為好打了。

可是，要挫曹操的銳氣，談何容易。

曹操殺了皇后，扶上了自己的妹妹，取而代之；與此同時，朝中已有不少人明裏暗裏把他稱為魏王，這是一個勢。曹操乘着這個勢，帶領大軍再度踏上濡須，那股銳氣，要抵擋也是不易的，更不要說當頭挫之了。

甘寧百騎的迴旋餘地

孫權問自己的部屬，誰可以做這件事？

孫權為甚麼不分派任務，而要用上徵詢的形式呢？我們還看到，其他的主帥，也是會不時用上這個形式的。

這個形式的一個作用，就是使勇者當之。要挫對方

新銳之氣，首先是要敢，敢於去做那樣的事，然後再說其他。

孫權那麼一問，有兩個勇者跳了出來，一個是凌統，一個是甘寧。凌統帶了三千人，與曹操的先鋒張遼鬥了五十個回合，不分勝負；晚上，甘寧再帶一百騎兵，殺入曹寨。

甘寧那一百騎兵，是孫權親自調撥的，然而，即使如此，他們的士氣並不高昂。一百這個數目，是甘寧自己提出來的，他還向孫權保證，劫了曹寨之後，不會損一人一騎。甘寧這樣做，自有他的道理，那就是給予自己極少的餘地，差不多是只能進不能退了。

百騎已等於大隊人馬

那一百人，儘管平日都是精銳之士，但因為這一次的任務確是艱巨，又加上他們不是自願去的，所以影響了士氣。孫權看的，是甘寧。

甘寧有一身好本領，而且他是與凌統爭相要一挫曹操的銳氣的，凌統在前，與曹操的急先鋒打個平手，有了這末一個前提，他更要爭取表現了。

甘寧首先關注的，是那一百騎的士氣。人數這末少，面對的又是曹軍，如果沒有士氣，還沒有出發，恐怕便已經一敗塗地了。甘寧先向百騎敬酒，但沒有甚麼

反應，便拔劍在手，怒喝道：「我爲上將，且不惜命；汝等何得遲疑！」這便激發起了百騎的士氣。

有了士氣的百騎，又豈止百騎！這百騎，豈止可以一當十！這百騎，加上了黑夜的效應，殺得曹寨大亂，以爲來襲的一定是大隊人馬；甘寧他們功成身退的時候，曹兵怕中了埋伏，連追都不敢追。甘寧百騎就這樣揚長而去。

爲甚麼奇兵其實不奇

曹兵那樣推測，是合了常理的；他們根本不可以想像，來襲的僅僅是百騎。在最不可能之處，說不定就是最有可能。這不是化不可能爲可能，而是在不可能處發現可能，那兒就是有着這樣的一個空間。我們甚至可以說，這是一條規律。甘寧自然去不到這樣的高度，他也不會帶引百騎認識到這一點，只是我們得看到，他所做的其實是這樣的一回事，他所帶領的不是百騎而是萬騎。

如果甘寧不是依循了那樣的一條規律（雖然他自己不曉得），即使是再有本事，能使百騎的士氣更高，也是不可能得勝的。奇兵就是要奇，但是從理念上來分析，奇兵其實是不奇的，這裏說的是，奇兵不能離開那樣的一條規律。我們做事，能在理念上弄得清楚，知道

自己這樣做為甚麼可以成功，再在具體的辦法上把好關，認認真真，一絲不苟，應該做到的都做到，那末，成功便是在自己的掌握之中了。

　　濡須之戰，發展下去，是孫權於下風，便向曹操求和，而曹操也知道江南不是一下子可得的，也便接受了孫權求和的條件，班師回朝去了。這裏面，也有着一條規律，孫權和曹操都依了這條規律做事呢！

報！曹操率兵四十萬，殺奔濡須而來！

徐盛、董襲率五十艘大船，在濡須口埋伏！

是！

陳武帶兵去江岸巡哨，有情況及時報告！

是！

乘曹操遠行疲乏，先給他一個下馬威！

這主意不錯，誰願出戰，挫敵人銳氣！

張昭獻計。

我願帶三千人前去破敵！

何需這麼多人，給我一百人就夠了！

凌統、甘寧兩人爭吵不休。

曹軍勢強，不可輕敵！還是凌統去吧！

凌統率三千人馬，向西尋戰。

半路上遇到曹軍先鋒張遼，兩人戰了五十餘合，不分勝負。

孫權怕凌統有失，派呂蒙接應回營。

55

好！勇敢！我給你一百精兵，並賞酒肉，犒賞軍士。

我今夜只帶一百人馬去劫曹營，如損失一人一騎，不算功勞！

我們只一百人，可曹軍有四十萬，望將軍三思！

眾軍士議論紛紛。

今夜奉命劫寨，請大家乾一杯，努力向前！

56

大丈夫
理當馬革
裹屍,以
戰死沙場
爲榮。我
是上將,
尚且不惜
性命,你
們怕甚麼?

將軍如此
忠勇,我
們決不
退縮!

殺啊

曹兵驚慌失措,
自相擾亂

二更時分,
甘寧率百騎
精兵,殺入
曹營。

吳軍橫衝直撞，如入無人之境。

甘寧從曹營南門殺出，無人敢擋。

曹操有個張遼，我有勇將甘寧，還怕打不過他嗎？

將軍神勇，足使老賊喪膽！

甘寧人馬無損，回到濡須。

第二天。

誰來會我樂進？

兩人大戰五十回合，不分勝負。

凌統來也！

曹休暗放冷箭，射中凌統坐騎。

嘶！

樂進中箭落馬。

兩邊軍士各自把樂進、凌統救回。

放箭救你的乃是甘寧！

多謝主公相救！

感謝將軍如此大度。

甘、凌從此結為生死之交！

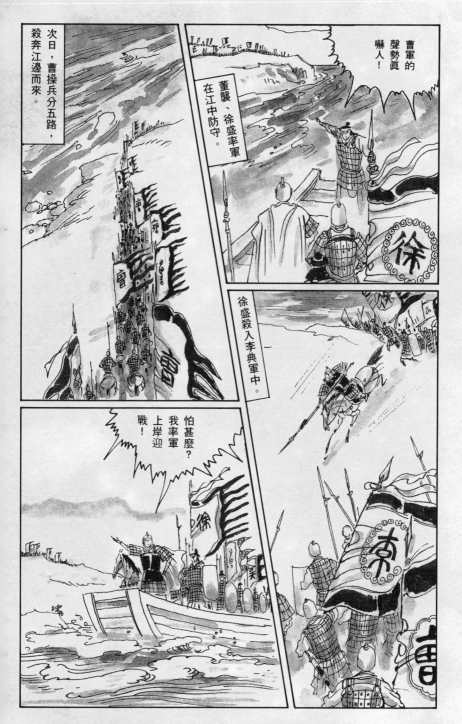

曹軍的聲勢眞嚇人！

董襲、徐盛率軍在江中防守。

徐盛殺入李典軍中。

次日，曹操兵分五路，殺奔江邊而來。

怕甚麼？我率軍上岸迎戰！

董襲在船上擊鼓助威。

不好，船要翻了，快逃命！

我們身負重任，不能棄船逃命！

一個巨浪打來，全船覆沒。

岸上，兩軍正在激戰。

陳武迎戰龐德，被龐德殺死。

孫權、周泰率兵助戰。

張遼、徐晃兩軍殺來，圍住孫權、周泰。

x

63

許褚率軍，把吳兵分散兩處。

你去把孫權、周泰衝散，爭取活捉孫權！

是！

周泰殺到江邊，不見孫權，返身殺回。

主公被圍，情況危急！

主公在哪裏？

64

周泰殺入重圍，尋見孫權。

我在前面開路，主公隨我殺出！

弓弩齊發，衝不出去，怎麼辦？

周泰再次殺回，尋見孫權。

到了江邊，又不見了孫權。

主公在前，我在後，衝出包圍。

周泰左遮右護，箭透重鎧，救出孫權。

主公，快登船。

呂蒙率水軍接應。

幸虧周泰保我突圍，但徐盛仍被圍困，怎麼辦？

周泰又返身殺入重圍，救回徐盛。

我再去救！

呂蒙接應兩將上船。

曹操率軍追到江邊。

兩軍對射。

快駛向江心！

呂將軍箭射完了！

陸遜率救兵趕到，射退曹軍。

陸遜帶兵追殺，反敗爲勝。

孫權派使者去曹營求和，答應每年獻上禮物。

好吧！孫權先撤，我再班師。

曹操勢大，我無法取勝，不如求和為上。

兩軍相持月餘。

曹操留曹仁、張遼守合淝，班師回許昌。

孫權留蔣欽、周泰守濡須，自己領兵回秣陵。

四

左慈戲曹操

左慈與我們也有關係

左慈是一個道人，道號是「烏角先生」。這個道人，「眇一目，跛一足，頭戴白藤冠，身穿青懶衣」，眇一目，就是瞎了一隻眼睛的意思。

當時，曹操已經當上了魏王，命人自孫權那兒取來四十餘擔大柑子。挑夫挑得疲累的時候，左慈出現了，他對挑夫說，可以為他們挑一程，結果他是把各擔都挑了五里。

那些挑夫也不管左慈只餘一目，且行動不便，但求自己可以跑少一些路，便樂得讓左慈那樣做，卻因為這樣，便發生了連串的事。

現代社會的幻術幻覺

這連串的事，幾乎都是我們難以理解和難以想像的，《三國演義》裏出現了這樣的情節，可能就是為了大快人心，如果沒有一個左慈，要那樣戲弄曹操，簡直是不可能的。人們因為要泄憤，所以左慈便有了市場；這一點，對我們來說，是有現實意義的。

人們往往會把自己心裏的意見以其他的方式來表現，例如，那是一種嬉戲；又或者，那是一種怠惰，等等，我們最重要的，就是看得出裏面寄托着的意見，及時加以分析，需要作出改正的，便馬上作出改正。可是，曹操並沒有這樣做，他只是着緊於怎樣把左慈抓起

來，甚至要把左慈殺掉，那才安心。

曹操擁有那末大的權力，擁有那末大的一塊地方，可是他就是容不下一個左慈。有的時候，大和小，就是會這樣地走在一起，分也分不開。

愈是要做大事的人，便愈是要有容人之量。容人，指的是容得下別人不好聽的說話，容得下別人不好的態度，這有利於我們作自我反省，及時發現問題，解決問題。曹操的官愈做愈大，官威愈是厲害，在他的面前，還會有多少人對他說出不好聽的話？要對他擺出不好的態度，那是更少的了。突然間來了一個左慈，叫曹操措手不及，於是，曹操便醜態百出了。

曹操務要把左慈捉住，到了後來，「三日之內，城裏城外，所捉眇一目、跛一足、白藤冠、青懶衣、穿木履先生，都一般模樣者，有三四百個」，這個情節，看似荒謬，其實是大有深意的。

這是說，世間的「左慈」是頗有一些的，從某個角度看，這是好事而不是壞事。如果「左慈」都沒有了，世間便恐怕真的不得太平了。當然，我們最好是心裏面自有一個「左慈」，讓他甚麼時候便肆無忌憚地來戲弄我們一下，使我們不那末舒服，那才是好事。

我們老是活在舒服之中，連警覺性也沒有了，那才是壞事，是隨時都要出問題的。

左慈曾經對曹操說，他的本事那末高，純是因為得

了天書三卷，又說：「大王位極人臣，何不退步，跟貧道往峨嵋山中修行？當以三卷天書①相授。」曹操怎樣答呢？曹操說：「我亦久思急流勇退，奈朝廷未得人耳。」

　　這裏，左慈是給曹操點破了一些東西，既然是「位極人臣」，到了一個極限，爲甚麼不退一步呢？只要曹操願意退一步，那末，左慈便會「以三本天書相授」，曹操所得的，也是不少的了。這是說，只要往後退一步，我們便會得到許多東西，得得失失是應該這樣看的。這個做法裏面，含有豐富的哲思。

　　曹操那樣說，是表明了他不願意退。「位極人臣」，這在曹操看來，並非到了極限，因爲他以爲自己大可以更進一步，那就離開當人臣的極位，去當皇帝。他以爲那根本不是一個問題，只在於自己甚麼時候要當罷了！

　　也不是曹操才這樣想的。不少人都以爲，自己的前面還有許多東西，不會是到了極限，而且，這前面的許多東西，比退一步所得到的是多得太多了；一說到退，便絕對是不好的事情。就是這末一個想法，使許多人受困。

　　在這一點上，曹操與其他人並沒有兩樣，也因此，曹操同樣是受困的。本來，說到本事，曹操是要比一般人高出不少的，可是，去到某一個位置，因爲種種原因，視物不淸，也便會與一般人沒有兩樣，而問題在

於，如果到了這個時候還要做高出於一般人的事，便肯定會一團糟了。

左慈戲曹操，弄得曹操得了病，吃了藥也不好，後來，經人介紹，請來了神卜管輅，結果是一句話便醫好了曹操。

管輅對曹操說：「此幻術耳，何必為憂？」曹操聽了，一顆心安定下來，疾病也漸漸地離他而去了。

為甚麼那八個字能夠治病呢？第一，曹操相信管輅是個能人；第二，管輅說左慈要的是幻術，可以說是一語道破，因為要害之處是，左慈並沒有真的傷了任何人，與管輅所說的，庶幾近矣。

從管輅說的幻術，我們不禁想起了幻覺；我們未必見過幻術，可是，幾乎每一個人都會有幻覺的經驗。有的人是連幻覺都信以為真，他們根本分不清楚那是不是幻覺。醫生說，有的病人是容易出現幻覺和會把幻覺當作是事實的，在這個意義上，我們可以說，不少人是生了病而不自知，甚至是根據幻覺來作判斷。

我們也可以說，有的幻術能產生作用，那是首先由於我們自己有了幻覺、而且分不清楚那是不是幻覺。

一個人，自大、自信、自戀到了某個程度，便會為幻覺所困，也會為幻術提供了活動的空間。

他造起了魏王宮，立長子曹丕為王世子。

曹操回許昌後不久，進爵為魏王。

咦！怎麼這幾個都是空的？

路上曾碰到一個名叫左慈的道人，跛足獨目⋯⋯

一天，孫權派人進貢溫州柑桔。

他正是途中所見的道人！

讓他進來。

報！左慈求見！

很甜！

請吃！

左慈取柑剖開，隻隻飽滿。

咦！

曹操自剖，仍都是空的。

你用甚麼妖術，把柑瓤攝去？

哪有這種事？

腹中饑餓，能不能給些酒肉吃？

可以。

賜坐。

多謝。

我會得天書三卷，大王何不跟我去修行？

你可有甚麼神術？

左慈連喝五斗酒不醉，吃了一隻全羊沒飽。

我也想急流勇退，可後繼乏人！

用大枷枷，關起來。

左慈端坐獄中，枷開落地。

丞相，一直沒給左慈吃東西，他安然無恙！

你怎麼沒餓死？

我可以幾十年不吃東西，不在乎這幾天！

曹操無奈，只得把左慈放了。

不久，曹操大宴羣臣，左慈突然出現。

大王可少甚麼珍饌異餚，我給你取來！

我要龍肝作羹，你能取嗎？

這有何難！

左慈剖龍取肝。

我要牡丹花！

時值隆冬，大王可要甚麼好花？

這很容易！

松江離此千里，怎能去取？

大王想吃松江四腮鱸魚嗎？

我能給你釣來。

左慈在堂下魚池中釣出幾十尾四腮鱸魚。

烹松江鱸魚，一定要用紫薑芽。

你也能取嗎？

能！取一個金盆來。

左慈用衣一遮，變出滿盆紫薑芽。

上次張松來，我已把此書燒掉，怎會在此？

曹操伸手去取，盆中有一本《孟德新書》。

大王請看。

大王滿飲此杯，可享千年高壽！

你先飲！

竟然一字不差，眞是怪事！

左慈拔簪一劃，將酒分作兩半。

左慈先飲一半。

咦？左慈不見了！

大王請飲！

我怎能喝你的剩酒！

左慈把酒杯往空中一擲，化成一隻毒鳩。

84

我把羊統統殺光！

牧童大哭。

左慈飄然而去。

別哭！我還你活羊！

牧童主人報知曹操，曹操下令捉拿左慈。

抓到了三百多一模一樣的左慈。

統統殺掉。

哈哈！曹操，你的死期不遠了！

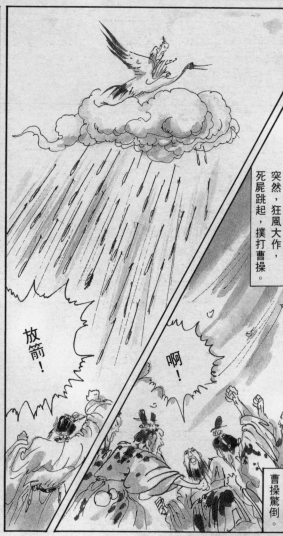

突然，狂風大作，死屍跳起，撲打曹操。

放箭！

啊！

曹操驚倒。

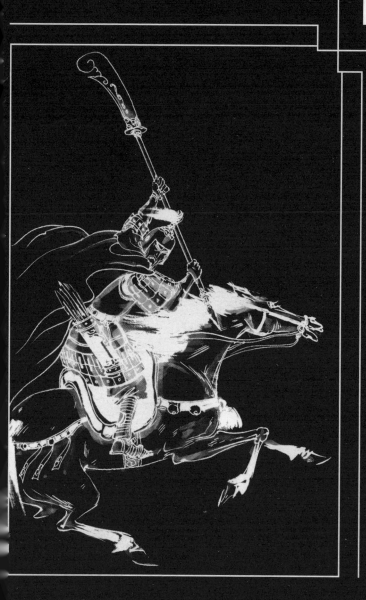

五

智取漢中

是「疑水」，非漢水

　　曹操得了西川——漢中之後，回師戰孫權；劉備在西川藉着這段時間休養生息，然後再乘虛進軍漢中。

　　曹操在漢中只留下少量兵力，被劉備打得節節敗退，於是曹操再次領兵四十萬入漢中，要保住那一塊地方，其中關鍵的一仗，是漢水之爭。

背水而戰的勝勝負負

　　這一仗，曹操以徐晃爲先鋒，熟知當地地理的王平爲副先鋒。徐晃要渡過漢水，背水一戰。他沿襲昔日「韓信背水爲陣」，要得到同樣的「置之死地而後生」效應。乍看起來，這也是有道理的，背水而戰，士兵退無可退，自然奮勇向前，可是，結果卻不是這樣。

　　徐晃領兵渡過漢水，與黃忠和趙雲的軍隊對陣，但自辰時（上午七時至九時）開始，直到申時（下午三時至五時），任憑徐晃怎樣挑戰，在那大約四個時辰內，黃趙就是按兵不動。黃忠說，如果徐晃命士兵向趙黃一方射箭，那就是要退兵，便可乘勢揮軍進攻了。事事果然一如忠所料，黃趙便命令軍隊掩殺過去，結果是徐晃一方的「軍士逼入漢水，死者無數」。

所背之水成爲了負擔

趙黃一方死守不出，目的是要磨蝕徐晃士兵的鬥志，漸漸下來，背水而戰便成爲了徐晃軍士的負擔；到了後來，徐晃要退兵了，命士兵射箭，那是虛張聲勢，黃趙有了準備，及掩殺過去，徐晃便兵敗如山倒了。

命士兵射箭的一方是否一定就是退兵，當然也得結合具體情況來看，例如剛剛對陣便射箭，那便不一定是要退兵了。總之，有了基本的法則作依據，還得看具體情況，細緻分析，結論才是比較可靠的。

背水而戰也是如此。徐晃敗陣，曹操親率大軍兵臨漢水，劉備依了孔明的計策背水結寨，曹軍攻來，劉備便走，而且邊走邊棄大量軍用物資，曹操急令退兵，也被劉備乘機追殺，曹軍大敗而逃。

孔明的圈套愈用愈靈

孔明知道曹操疑心大，便故佈疑兵①。背水而戰，貴在一氣呵成，那才可以把作用發揮得淋漓盡至；要能夠一氣呵成，便要了解敵方的性格和習慣，有了充分的把握，才做得到。徐晃欠缺了那個基礎，便導致自己的大敗；劉備背水結寨，可以說是犯了兵家之大忌，但因爲劉備有一個孔明，曹操遂不敢相信，劉備是犯了大忌

而不自知，加上劉備一邊退走一邊棄掉馬匹與軍器，似是到了世界末日那樣，曹操便更覺可疑，便急令退兵，這就中了孔明的圈套了。

在漢中之戰中，孔明的同一個圈套，曹操中了不止一次；愈中，孔明的那個圈套便愈靈。這一方面是由於，孔明懂得變化，同一個圈套，以不同的面目出現，絕對沒有似曾相識的感覺；另一方面，正如孔明所說的：「曹操雖知兵法，不知詭計。」其實這也恰巧是兵法的奧妙的所在。例如，「實則虛之，虛則實之」，這也是兵法，也是許多人都知道的了，可是怎樣是虛，怎樣是實，卻是怎樣都說不清的。

夢中殺人與疑心自敗

使用兵法的人，首先要知道對手的脾氣，曹操是個自視爲兵法大行家的人，他所著的《孟德新書》，有着要與《孫子兵法》一比高下的意思。可是，曹操的疑心大，而且他的身分不比往日，現在已經貴爲魏王，有的是地位、權力和無數的身家財產，也就是說，有了種種負累，這便使他的疑心更大，即使是在許都，他晚上也是配劍睡覺的，有甚麼人走近，都隨時有被他殺掉的可能。曹操說他有「夢中殺人」的習慣，就是這麼一回事。

孔明是用曹操的疑心擊敗曹操的。適當的疑心，有

着保護我們自己的作用，那是需要的，可是疑心過大，到了杯弓蛇影地步，便是很危險了。其實，曹操的兵力還是很强大的，足以敵得住劉備，他只要安定下來，很好地指揮將士作戰，還是大有可爲的。孔明沒有使用幻術，然而，他利用了曹操的疑心，便等於使用了幻術，使曹操兵敗如山倒。劉備也便這樣得到了漢中，成爲漢中王。

曹操受了驚嚇，大病一場。

報！東吳都督魯肅病故！

報！劉備派張飛、馬超進犯漢中。

啊——

曹洪率兵五萬，增援夏侯淵、張郃。

是！

張飛、馬超兩人勇猛，你必須緊守關隘，不可輕易出戰。

曹洪來到漢中，見到張郃。

張飛沒甚麼可怕的！我領兵去戰他，不勝，甘當軍令！

兩張大戰，張郃大敗！

張郃退守宕渠山寨，閉寨不戰。

張飛逼近宕渠山安寨，天天喝醉了酒在山下辱罵。

我要用計把張郃引下山來！

張郃，大丈夫當戰死沙場，你怎麼當起縮頭龜來了？

不會！張飛不能無好酒，可派魏延送五十甕美酒去！

軍師，翼德天天醉酒，會不會誤事？

消息傳到成都。

94

張飛將美酒排列寨前，開懷暢飲，還叫兵士摔跤助興。

你倆如此如此……

是！

氣死我了！

張郃在山頂觀望。

不好！是個草人，我受騙了！

張飛，你的死期到了！

當夜，張郃下山殺入張飛大寨。

95

張郃，你上當了！

將軍，大寨已被魏延、雷銅奪了！

啊——

張郃殺開一條血路，逃向宕渠寨。

張郃只得退守瓦口關。

張飛乘勝前進，很快攻下瓦口關。

是！

張郃兵至葭萌關，首戰擊敗孟達。

我給你五千人馬，攻打葭萌關，立功贖罪。

諸葛亮派老將黃忠、嚴顏率兵前去救援。

另一守將霍峻忙派人向成都求救。

葭萌關十分重要，他軍師怎能只派兩個老將擔此重任？

你放心，他倆一定能成功！

98

突然，嚴顏從張部背後殺來。

曹洪聞報，派夏侯尚、韓浩領兵前來助戰。

前後夾攻，張部大敗，退兵九十里。

附近天蕩山是曹軍屯糧所在，我……

好！

嚴顏領兵而去。

兩軍對陣，黃忠詐敗，棄寨而走。

一連幾仗，黃忠節節敗退，一直退到關內。

你如此膽卻，所以屢戰屢敗，看我倆攻下葭萌關來！

黃忠連連敗退，恐是詭計！

這是老將的驕兵之計！

孟達派人向劉備稟報。

果然，黃忠夜襲曹營，大獲全勝。

夏侯尚、韓浩、張郃逃往天蕩山，投奔守將夏侯德。

黃忠，你別逞兇！

黃忠追來。

送你見閻王！

黃忠一刀劈死韓浩。

衝啊！殺啊！

夏侯德率兵前去救火，被嚴顏一刀殺死。

報！嚴顏從後山殺來，糧倉起火！

張郃、夏侯尚放棄天蕩山，逃往夏侯淵鎮守的定軍山。

逃命！快逃命呀！

現在是奪取漢中的最佳時機。

法正說得對。

黃忠派人向劉備報捷。

曹操親率四十萬大軍，來救漢中。

劉備移師葭萌關，親征漢中。

報！定軍山失守，夏侯淵被黃忠所殺。

挺進漢水，為夏侯淵報仇！

曹操在漢水北山紮營。

張郃去把米倉山糧草運來寨中！

是！

我先領兵去燒糧，若午時不歸，將軍領兵接應。

好！

黃忠、趙雲領兵偷襲，燒毀曹軍糧草。

是！

黃忠來到北山，被張郃、徐晃圍困。

午時，趙雲趕到，殺入重圍，救出黃忠。

當年長坂坡英雄，如今還是這樣威風！

不用！我自有妙計！

快關了寨門！

你們準備弓箭，在壕內埋伏。

是！

趙雲在搞甚麼鬼？

等丞相來了再說。

徐晃、張郃殺到寨外。

放箭！

衝！殺進營去！

曹操到。

快退兵！

趙雲、黃忠
領兵追殺！

曹操大敗，
逃回大寨。

幾天後，曹操又率大軍來爭漢水，兩軍隔水相持。

敵強我弱，怎麼辦？

我自有妙計！

是──

你帶人去上游土山埋伏，聽到號炮，擂鼓一番，但不要出戰。

第二天，曹軍前來挑戰，諸葛亮閉寨不出！

108

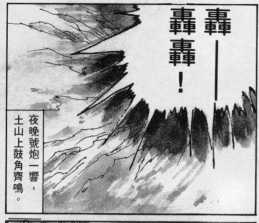

轟——

轟轟！

夜晚號炮一響，土山上鼓角齊鳴。

曹軍以為有人劫寨，急忙出來迎戰，卻空無一人

一連三夜，鬧得曹營驚慌不安。

曹操心怯，退兵三十里。

蜀兵乘機渡過漢水，背水結寨。

「如此如此……」

軍師有何妙計？

第二天，兩軍對陣，劉封出戰徐晃。

劉封佯敗而逃。

活捉劉備，重重有賞！

劉備率軍棄寨而走，各種軍用物資丟得滿地都是！

不好！
劉備這是詐敗！

曹操醒悟。

不准拾取
戰利品，
違令者斬！
火速退兵！

諸葛亮
詭計多
端……
快退兵！

主公為
甚麼突然下
令退兵？

出擊！

曹軍剛退。

劉備返身殺回，
趙雲、黃忠從兩
側殺來。

曹操逃回漢中，可漢中已被張飛、魏延攻佔。

曹操連戰連敗，軍無鬥志，只得放棄漢中全郡回師許都。

劉備平定漢中，自立爲漢中王。

六

攻克襄陽

稱王的利害關係

　　劉備得了東川之後，當上了漢中王。可以說，這既是劉備的本意，卻又非其初衷①。

稱王的天時地利人和

　　說是劉備的本意，那由於他本來就是要得到天下，也因爲這樣才與曹操和孫權爭雄，有這樣的一顆心；可是，他又有所顧慮，擔心在未得到漢獻帝同意之前便稱王，不能服衆，這便會給自己帶來這樣那樣的阻滯。

　　另一方面，我們曉得，脅持着漢獻帝的曹操也只是自稱魏王，沒有取漢獻帝之位而代之。恐怕他多少也有着與劉備相同的顧慮，所以，他寧可「挾天子以令諸侯」，因爲，相比之下，這樣做給他帶來的好處還是較多的。

　　回頭看看劉備，爲甚麼他最後也同意當上漢中王呢？大抵主要還是爲了孔明的這一番說話：「方今天下分崩，英雄並起，各霸一方，四海才德之士，捨死亡生而事其上者，皆欲攀龍附鳳②，建立功名也。今主公避嫌守義，恐失衆人之望。」

　　孔明這樣說自有其道理，倒不是爲了討好劉備才那樣說的。在亂世之中，乘時而起的人，一是由於到了亂世，一切都來一個重新分配，有了空間；二是自己經過一番拚搏所得來的東西，要得到認可，那才名正言順，

114

而這個認可，如果不是自己去稱王，便得投靠一個「明君」（攀龍附鳳），這樣才得安心。

劉備如果在一定的條件下稱王，那便一如孔明所言，可以得到更多能人異士的投效，有利發展自己的勢力和壯大自己的事業。

孔明的考慮，是很符合當時的實際的。

劉備稱王是眾望所歸

無疑，劉備一旦稱王，首先得益的，就是正在追隨他的各人，這是很清楚的，在這個情況下，劉備稱王，也就是眾望所歸了。當時劉備還要推卻，可是，諸將卻齊聲這樣說：「主公若只推卻，眾心解矣。」這就是眾人的心聲，劉備是不能置之不理的。

這樣，經過一番權衡，劉備還是當上了漢中王。

劉備稱王，曹操當然不能坐視。此消彼長，對曹操是很不利的。

孫權請曹操奪取荊州

他又是利用了荊州，說清楚一點，就是利用劉備借了孫權的荊州而與孫權所存在的某種關係。然而，孫權也同樣看到了曹操的心意。

這個局勢，是很微妙的。

我們也可以說，只要策略運用得宜，一個荊州，也是可以起着很大的作用的，無論是曹操、孫權，抑或是劉備，都可能會被牽制。

經過一番兇險的鬥智，結果是孫權去函曹操，要求屯兵於襄陽與樊城的曹仁去取荊州，其實是引動荊州的關雲長出兵樊城，這末一來，二虎相鬥，漁人得利，孫權便可以乘機取荊州了。

孔明的破解之道，就是先發制人。具體地說，那就是關雲長要搶在曹仁之前出兵樊城，「使敵軍膽寒」，這末一來，其計便自敗了。

甘寧百騎呂常二千兵

這個時候的關雲長已經年近六十歲，可是仍然八面威風，能使敵人聞之喪膽，曹仁便怕了他，連曹仁的參謀滿寵也認為關雲長除了是個「虎將」之外，還足智多謀，一再勸曹仁只宜堅守。

關雲長就是一個叫敵人又怕又愛的人物，也就是一個叫敵人提不起鬥志來的人物。

第一次，曹仁聽了將領夏侯存的話，出戰關雲長，結果被關雲長殺得大敗，退守樊城，襄陽則落在關雲長手裏；第二次，曹仁又讓部將呂常令兵二千迎擊渡襄江

而來的關雲長，呂常的依據是兵法上有「軍半渡可擊」這樣的一個說法，但同樣是以大敗而告終。

為甚麼會這樣呢？

呂常不比孫權的甘寧，甘寧夜半以百騎襲曹寨而得到大捷，最關鍵的，是他能鼓動起百騎的士氣，我們看不見呂常有這末一個做法，於是，他見到了關雲長，要迎上去，可是他「後面眾軍見關雲長神威凜凜，不戰先走，呂常喝止不住」；這個呂常，就是敗在這裏。

甘寧的百騎，以一擋十，以一擋百；呂常的二千士兵，一下子便剩下了呂常自己一個。

將領，一個將，一個領，自己有本事，自己能身先士卒外，還要領導得法，何況呂常也沒有關雲長一夫當關的功夫！

甚麼妙計！

大王先不用發兵，臣有一計，可打敗劉備！

司馬懿向曹操獻計。

劉備竟自封爲漢中王，立即發兵征剿！

魏王願和將軍合力攻破荊州……

曹操派謀士滿寵來見孫權。

好計！

派人勸孫權同打荊州……

關羽有個女兒，我願為主公世子做媒，他答應就聯劉抗曹；否則，就聯曹破荊州。

兩面夾擊，不失為一個好辦法！

我虎女豈能嫁犬子，妄想！

我來替主公世子求親⋯⋯

好吧！你先去荊州！

是！

孫權寫下文書，與曹操約期會攻荊州。

主公，關羽他……

關羽欺人太甚！

軍師，怎麼辦？

劉備得悉，忙和諸葛亮商議。

是！

滿寵你去樊城輔助曹仁，奪取荊州。

好！我立即派司馬費詩去荊州。

孫權定叫曹操先動兵。若令關羽搶先去攻樊城，便可使曹操心寒收兵。

傅士仁爲正先鋒，糜芳爲副先鋒，屯兵城外，待命出發。

是！

漢中王封將軍爲五虎上將，並命將軍立刻出兵，攻取樊城。

遵旨！

摘去先鋒印，捆打四十。

糜芳去守南郡，傅士仁去守公安，若再有誤，定斬不饒！

當夜，兩將喝醉了酒，玩忽職守。大營失火，損失慘重！

121

呂蒙屯兵陸口，若乘虛襲擊荊州，怎麼辦？

隨軍司馬王甫。

廖化作先鋒，關平爲副將！潘璿留守荊州！

是！

你去沿江築一些烽火台，吳兵渡江，放煙火爲號，我親自趕來堵擊。

潘璿督守荊州，恐不稱職，請改派趙累，萬無一失。

沒這必要！你快去督造烽火台吧！

關羽佈置停當，率軍渡過襄江，直逼襄陽。

曹仁親率大軍，前來迎戰！

好！先給他個下馬威！

廖化、關平你倆……

我是先鋒廖化，誰來會我？

魏將翟元出馬，大戰廖化。

第二天，廖化和關平接連敗退。

廖化詐敗，退兵二十里。

衝啊

追！

不好！中計了！快退兵！

突然，關羽率軍從背後殺來！

124

夏侯存被關羽一刀劈死。

翟元被關平殺死。

廖化、關平返身殺回，曹軍潰逃。

曹仁從小路逃回樊城！

關羽首戰告捷，一舉攻克襄陽！

進城安民。

乘勝前進，攻克樊城！

七

水淹七軍

看機會是怎樣到來的

關雲長奪了襄陽，並乘勢圍攻樊城，曹仁向曹操告急，曹操派于禁與龐德，統領七枝重兵，助曹仁對抗關雲長。

帶備棺木出戰關雲長

龐德與關雲長對陣，大戰百餘回合，不分勝負，更重要的是，他毫無懼色，要再戰關雲長。龐德所靠的，不僅僅是自己的武藝，更重要的，是戰意。他起行之前，命人造了一具棺木，以示與關雲長之間，不是你死便是我亡的氣概，這一點，與同行的于禁有很大的分別。我們看到，即使到了後來，關雲長水淹七軍，龐德被困於「孤島」，大勢已去，但還是拚死作戰，這就是說，他的戰意是無可懷疑的。最後，他被關雲長擒住了，也寧死不屈。

曹操的謀士賈詡知道龐德帶備棺木出戰，這樣對曹操說：「龐德持血氣之勇①，欲與關某決死戰，臣竊慮之。」賈詡的憂慮不是沒有道理的，要知道，這次龐德上陣，是與于禁一起當帶兵者，而不是普通一兵。帶兵者，要講究策略，光是憑着血氣之勇，那是談不上策略的，偏偏關雲長是一位智勇雙全的大將，那便更可慮了。

血氣之勇而不及其餘

　　出戰之前，曹操也曾就這一點命人告誡過龐德，可是龐德根本不領情，還以為曹操這樣做，是「長他人志氣滅自己威風」。其實，這個時候龐德的想法，已經走到了一個極端的位置，讓他來帶兵，是很危險的了。在這個事情上面，曹操也是有責任的，他起碼要親自找龐德好好談一談，使他回復理智。我們做任何事都是這樣的，要得到成功，不能沒有信心，但也不能光是靠着信心去做事。龐德帶着棺木上陣，那就是有進無退，如果光是擁有這一點而不及其餘，便是有着很濃的盲目性了。

　　本來帶兵的還有于禁，如果于禁負起了提點龐德之責，那末，事情是還不會去到那個境地的。龐德第二次出戰關雲長，用箭射中了關雲長的左臂，龐德正要乘勝追擊，于禁在後卻敲起了大鑼，使龐德勒馬而回，龐德問于禁為甚麼「鳴金收兵」，于禁表面上說了一套，給解釋過去，其實，在他的心底裏，是怕龐德立了大功。將領之間各有心事，各懷鬼胎，那肯定是要敗事的。

造就了水淹七軍之機

後來，于禁不僅不聽龐德的意見，乘着關雲長帶有箭傷，讓七軍擁入關雲長的軍寨中，而且「移七軍轉過山口，離樊城十里，依山下寨。禁自領兵截斷大路，令龐德屯兵於谷後，使德不能進兵成功。」

這便造就了關雲長水淹七軍之機。

關雲長確實是智勇雙全。他並沒有與龐德硬拚下去，而是登上了高處，觀察七軍所處的位置（地勢較低）和周圍的環境（有洶湧的襄江），當時又正值秋雨連綿，關雲長便馬上決定破襄江之水，大淹七軍，自己卻大造戰筏，並且把士兵移往高處。

于禁那邊也不是沒有人看到這個不利的情勢的。起碼，督將成何便有所覺察，但是于禁聽不入耳，更罵他以妖言惑軍心；成何跑去跟龐德說了，龐德覺得有道理，準備自行移軍他處，可是已經來不及了，大水已經淹至。

精壯的北人任由魚肉

七軍雖然精壯，可是都是北人，不諳水性——總的來說，這也是曹軍的一個薄弱環節，孫權能夠與曹操對抗，跟他一直是據水而戰也是大有關係的。

大水驟來，七軍都泡在水裏，自然是任由魚肉了。龐德在地面上還有一戰之力，可是一旦掉進水裏，也便只能給人家擒住了。

　　于禁和龐德作爲統帥，由於一個只懷着血氣之勇，一個只是顧防人家立了大功，所以才會那樣的蔽塞，否則，轉移屯兵之所，一定會首先觀察地形，也會留意天氣的變化等等。七軍的不諳水性，他們自己又怎會不曉得，更不會去犯這末一個禁忌了。特別是，于禁跟隨曹操三十年，怎可能輕易地放過了這一點。

　　妒忌和私心，有的時候就是能夠把「萬里長城」也摧毀的，能不叫我們警惕！

是自然界的珍貴啟示

　　洶湧的襄江水，淹至樊城，曹仁要備船逃走，可是，他的謀士滿寵卻這樣說：「不可，山水驟至，豈能長存？不旬日即當自退。」

　　果然，不出滿寵所料，大水在旬日之內即漸退。這裏，滿寵所說的，也是一種規律，驟來的東西，總會是不得持久的。大水的驟來驟去，有着一種自然界的啟示，值得我們珍惜。得，是誘人的，許多人都急於得，急於求成，襄江水的驟來驟去，能讓我們想到了甚麼嗎？

曹仁退守樊城，派人向曹操求救。

龐德的舊主人馬超現在是劉備的五虎上將。

七軍首領董衡、董超參拜于禁。

他……

萬一……

是！

于禁為主帥，龐德為先鋒，帶領七支精兵，前去救援！

龐德

……

曹操聽信讒言。

你說得不錯，幾乎誤了大事！

龐德準備了一口棺材，要和關羽決一死戰！

關羽，今日決戰，這棺材不是裝你，就是裝我！

那肯定是裝你這無名鼠輩，看刀！

都說關公是英雄，今天我才相信。

天黑，雙方收兵。

兩人大戰一百多回合，不分勝負。

第二天，兩人再次交鋒，大戰五十回合。

龐德暗放一箭。

龐賊，你使拖刀計，我豈怕你？

龐德回馬殺來，關平飛馬攔住廝殺，救回關羽。

于禁忌妒龐德立功，鳴鑼收兵。

136

第二天，于禁下令將七軍移至罾口川谷中紮營。

關羽箭傷好後，上山觀察形勢。

我用水淹曹軍，必然獲勝！

我守大路，你帶本部人馬，去守山後小路！

是！

你們帶人去掘開襄江。

是！

137

連日大雨，江水暴漲。曹軍駐在低谷，天時助我取勝。

兩軍陸戰，要船幹甚麼？

是！

你們去準備船隻！

你別擾亂軍心！

江水泛濫，將軍要提防關羽水淹之計。

督軍成何提醒于禁。

關羽又悄悄把兵馬移至高地駐紮。

可是已經晚了。

你所見有理，我立刻移營高處！

成何來見龐德。

完了！完了！

七軍遭淹，軍士大都被巨浪吞沒。

139

于禁、龐德等各逃上山丘避水。

我投降！我投降！

于禁被關羽截住。

天亮，關羽率軍乘船殺來。

關羽水淹七軍，絕了樊城外援，又揮師猛攻樊城。

龐德兵敗被俘，寧死不降。

推出斬了！

140

刮骨療毒

謝 謝 這 一 枝 毒 箭

　　關雲長進攻樊城，兩度中箭，第一次所中的是龐德之箭，幸好所傷不重，很快便癒合；第二次所中的，卻是樊城曹仁命令士兵所射的毒箭，而且毒已入骨，右臂除了疼痛之外，還青腫一片，不能運動。

既是小事又不是小事

　　可是即使如此，關雲長還是不願意退兵。

　　他不退兵，出於兩個考慮，第一，他認為樊城已是隨時可破；第二，在破了樊城之後，他便要長驅直進，逕取許都。關雲長不退兵，也是有他的道理的，當時在許都的曹操也生出了怯意，竟有遷都以避關雲長的想法，後來還是因為司馬懿力勸，又提出了破解的辦法，曹操才打消了那個念頭。

　　可是，在關雲長而言，當務之急，就是把臂傷治好。問題是，他所中的是烏頭（附子）之毒，一時之間，也無法可治，在這個情況下，關雲長其中能做的一件事，就是與馬良下棋。關雲長在這個時候下棋，便不是小事一樁了。

關雲長豈比世間俗子

　　因為下棋是小事，才顯得不是小事一樁。這話怎說

呢？關雲長的手臂本來是因爲給毒物入了骨，疼得厲害的，可是，這個情況如果讓其他人知道了，便會引起軍心不穩；倘若再進一步的傳了開去，給樊城的曹仁知道了，說不定會在這個時候來一個反擊，對關雲長便很不利了。這一點，關雲長無疑是很清楚的，所以他才在這個時候氣定神閒地與馬良下棋，以安軍心。他這樣做，比說話是更有力的，光是說自己的臂傷沒有大礙，人家未必會相信，可是那樣下棋，人家看在眼內，答案也便在心內了。

作爲主帥就是要有一份這樣的能耐，絕對不能與下屬一般見識，否則只會亂作一團，別無他途。後來華佗給他刮骨療毒，怕他忍不了痛苦，關雲長說：「任汝醫治。吾豈比世間俗子，懼痛者耶？」這句說話，我們完全可以看成是關雲長的心聲，而這也是他對自己的要求。這是很重要的，沒有了這一點，便當不了一個好的主帥。

跳出窠臼①有自己一套

碰上了甚麼事，一般人的看法都是差不多的，這也就是我們所說的一般見識，作爲主帥，便得跳出這窠臼，拿出自己的一套來，這才能豁然開朗，人心所向的，也自然便是這樣的一位主帥了——這末一來，主帥

① 窠臼：現成的格式，老套。

143

便有了更大的威信。

　　威信，便是這樣漸漸形成的。主帥自己的一套，不一定是一番說話，有的時候，可能是一種行動，甚至只是一種態度，也已經足夠。關雲長讓華佗刮骨療毒，既是一種行動，也是一種態度。

　　華佗給關雲長刮骨，其實是一種外科手術，在當時來說，是很了不起的。在此之前，華佗無疑是有過這樣的經驗的，他對關雲長說的這番話就是經驗之談：「當於靜處立一標柱，上釘大環，請君侯將臂穿於環中，以繩繫之，然後以被蒙其首。吾用尖刀割開皮肉，直至於骨，刮去骨上箭毒，用藥敷之，以線縫其口，方可無事。」

扭轉乾坤使軍心大振

　　光是聽華佗所說的這一番話，我們也可以想像這個手術的過程，那簡直可以用慘烈二字來形容。

　　關雲長並沒有使用華佗的那個辦法，他照樣與馬良下棋，吃東西，同時伸出手臂，讓華佗去做那個手術，一直到手術完成為止。華佗刮骨，悉悉有聲，「帳上帳下②見者皆掩面失色」，神色自若的，只有關雲長一個人，而華佗刮着的，卻是他的臂骨！

　　到了這一步，關雲長可以說是盡取軍心了。本來，

關雲長中了毒箭，一時得不到有效的醫治，可以說是折了軍心的，然而，華佗的到來，關雲長當衆的如此刮骨療毒，便是扭轉乾坤，使軍心得以大振。這是比說甚麼話都來得有效的。

關雲長能夠那樣做，是不是純屬小說家的一種誇張的寫法呢？這裏，我們可以從另一個角度去探討，作爲一個身負重任的主帥，自己的全副精神都放在大局上，只要對大局有好處，是可以做出「能人所不能」的事的。這個事情，是想像不了的，必須處於那樣的一個地位，面臨着那樣的一種需要，才會做出那樣的一種事情；我們甚至可以說，關雲長那樣做，是很自然的一回事呢！

報！關羽大軍逼近樊城！

樊城守不住了，不如乘船突圍！

幸虧先生提醒，不然會誤大事！

大水很快就會退去！若放棄樊城，將影響全局，應該堅守。

我奉魏王將令，與你們共守樊城，城存俱存，城亡俱亡！

願隨將軍死守！

146

147

有甚麼辦法嗎？

中毒入骨，再不治療，要殘廢了！

過了幾天，名醫華陀慕名而來。

請在安靜處樹一根柱子，上釘大鐵環，將軍把手伸進鐵環，用繩綁住，用刀刮毒。

我死都不怕，還怕甚麼？

辦法倒有，只恐將軍⋯⋯

華陀割開皮肉，刮骨療毒。

不必如此麻煩，來吧！

關羽一面喝酒下棋，談笑如常。

好了！

華陀敷上藥，縫好傷口。

150

關羽揮動一下手臂。

先生真是神醫。

輕鬆多了，

將軍真乃神將。

箭毒雖已治好，但你百日內不能發怒，否則舊瘡會復發的。

好！我聽你的！

這一百兩黃金作酬金。

我是慕將軍英名而來醫傷的，不是為了錢！

華陀留下一帖藥，告辭走了。

151

明天我帶兵去攻樊城，報一箭之仇！

父親，你先休養幾天，我和廖化去攻城！

好吧！

關平和廖化日夜圍攻樊城。

曹仁一面堅守，一面再派人向曹操求援！

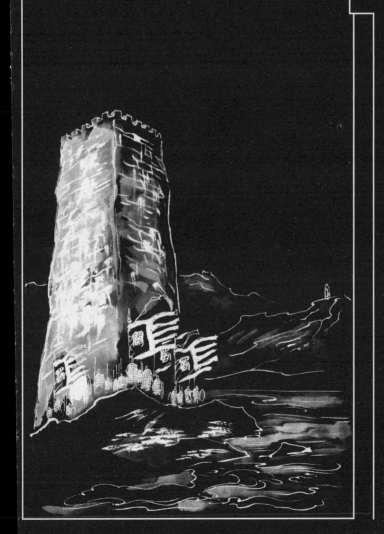

九

白衣渡江

幫助敵手等於幫助自己

關雲長領兵圍攻樊城，志在必得，但因爲對孫權還有顧忌，所以既有人（傅士仁和糜芳二將領）留守荆州，復在「沿江上下，或二十里，或三十里，高阜處各有烽火臺」，如荆州有甚麼不妥，然起烽火，遠在樊城的關雲長很快便可以知道，立即施以救援。

有所防範能不能動手

孫權當然一直都在覬覦①荆州，關雲長的顧慮絕對不是多餘的，關雲長人不在荆州，很自然地，人家便會想到，這是一個可乘之機。

呂蒙便是這樣想的。他向孫權提出了自己的設想，孫權當即表示同意，把任務交給他，可是，呂蒙接着一經了解，得知關雲長早就有所防範，也便不敢動手，稱病不出了。

呂蒙這樣做對不對呢？其實，一般人都會那樣做的，可以說，那是很自然的一種反應。有一句大家都常說的話，叫「攻其無備」，只有無備，才容易攻得入；人家有所準備，你卻去進攻，那常常是吃力不討好的。

思路要往那上面去跑

然而，孫權的另一位臣子陸遜卻懂得從另一個角度

去考慮問題。他認為，關雲長無疑是作了準備，這是事實；可是，同時存在的一個事實是，關雲長攻樊城不下，需要援兵，以加強攻城的力量。對關雲長來說，這是一個矛盾，陸遜要做的事，就是幫助關雲長解決這個矛盾。

陸遜怎會跑去幫關雲長的忙呢？原來，這裏面，自有他的道理。有的時候，幫敵對的對手解決問題，也就是解決了自己的問題，只是我們的思路往往不會跑到那上面去，便形成了自己的局限。

矛盾解決得可乘之機

陸遜說，關雲長在荆州和沿江所作的部署，主要是為了提防呂蒙，如果呂蒙辭去要職，找一個不見經傳的人去替代他的職位，那末，關雲長的矛盾也便給解決了，而呂蒙這邊也便有了一個可乘之機。

呂蒙同意了陸遜的見解，孫權也連隨以陸遜頂替了呂蒙的職位；陸遜上任後，即時派出使者在關雲長的面前以卑下的態度說盡好話，關雲長果然因此去掉戒心，調遣荆州的兵馬前來協助進攻樊城。陸遜的推測應驗了。

呂蒙一定要獨掌大權

孫權要派呂蒙和他的侄兒孫皎一起引軍前去襲取荊州，但呂蒙不允，他認為如此一來，他和孫皎之間必然互相牽制，互相消耗，軍事上便變得迂迴曲折，便會誤掉許多戰機了。

呂蒙主要顧慮的，是孫皎和孫權的親戚關係，和孫皎一起指揮軍隊，呂蒙便不好說話。

結果孫權任命呂蒙為大都督，獨掌大權。呂蒙派出部分士兵穿上白衣，扮作客商，在船上搖櫓，精兵卻躲在艙中，就這樣過了江，到了晚上，精兵跑了出來，一下子便制服了沒有準備的烽火臺上的士兵，中斷了關雲長的「訊號線」。

呂蒙小心奕奕地安民

呂蒙和陸遜所做的事，完全是極有針對性的，一是讓關雲長撤走荊州的將兵，二是使那「訊號線」失效，只有這樣，才可以一舉攻下荊州。

呂蒙又善待烽火臺上的士兵，讓他們令荊州的守城士兵開了城門；呂蒙進城後，又明令不得妄殺一人，不得妄取民間一物，並不得打擾關雲長的家屬。呂蒙安了民，其實也就是使自己得益。關雲長一貫以義字當頭，

對民眾是很好的，如果呂蒙反其道而行之，或者不禮待關雲長的家屬，便會引起民眾的反感，也就是給自己惹來麻煩。

　　到了這一步，呂蒙已經得到了成功。

好！就按司馬將軍說的辦！

大王可一面增兵樊城，一面連結孫權，敎他偷襲荊州，樊城便可解圍。

曹操接到敗報，急召文武商議。

曹操派徐晃率兵五萬，馳援樊城。

使者帶了曹操書信，前往東吳。

關羽遠征樊城，我們可乘機襲取荊州。

呂蒙正好從陸口來見孫權。

好！我立即出兵。

你先回陸口準備，我隨即發兵！

呂蒙回到陸口，派人過江偵察。

沿江上下每隔二三十里便有一座烽火台，防守十分嚴密。

看來偷襲很難成功。

他無計可施，只得托病不出。

呂蒙的病是假的！

孫權得知呂蒙病了，十分焦急。

我有一個妙方，能好好將軍的病！

甚麼好藥？

孫權派陸遜前去探病

你說得很對，快說說你的妙計！

只要如此如此，荊州指日可下。

只要讓對江的烽火台舉不了火，將軍的病就好了！

陸遜頓守。派陸遜頓守。派陸遜，接孫權、辭職，接孫權、病

哈哈！孫權真沒見識，竟用陸遜這種無名小卒作大將！

關羽放鬆了對東吳的防範，把荊州大半兵力調到樊城。

陸遜派人給關羽送去重禮，謙虛地表示和好之意。

關羽果然中計，你和孫皎一起領兵去襲取荊州，怎麼樣？

孫權召呂蒙商議。

陸遜得到消息，連夜派人向孫權報告。

我懂了！

周瑜和程普一同領兵，程普尚且不服，而孫皎是你堂弟……

孫權拜呂蒙為大都督，統領全軍，令孫皎在後接應糧草。

孫權又派人送信給曹操，讓他進軍牽制關羽。

呂蒙調兵遣將。

你等
可如
此如
此！

三千精銳水軍，扮成
白衣商人，過江而來。

好吧！
今夜允
許停泊，
明天一早
離開！

是！
是！

甚麼
人？

我們
是商船，
靠岸避風
的。些許
薄禮，請
多包涵！

傍晚，那些船隻分頭在
對江烽火台前停下。

163

吳兵發出信號，呂蒙率大軍飛速過江。

二更時分，吳軍偷襲，活捉了所有烽火台的荊州兵。

守門士兵見是自己人，打開城門。

開門！我們有事向潘將軍稟報！

願意効勞！

你們賺開荊州城門，重重有賞。

呂蒙率軍乘機擁入，佔領了荊州。

守將潘濬納印歸降。

傅士仁終於被虞翻說動，來到荊州納降。

哈哈！我終於奪回了荊州的全部土地！

荊州已得，公安、南郡怎麼收復？

我和公安守將傅士仁很有交情，可說服他歸降主公。

孫權得到捷報，來到荊州。

傅士仁又說動糜芳歸降了孫權。

166

十

關羽走麥城

路直，路彎與路盡

在呂蒙進襲荊州的同時，孫權派人通知曹操，希望曹操不要把荊州之事告之關雲長（關羽），讓關雲長有所準備，而是趁勢出兵，以兩面夾擊關雲長。

要磨蝕關雲長的戰意

曹操卻有自己的想法。

他的做法是，把呂蒙進襲荊州的事告訴關雲長，以動搖他的戰意，然後派大將徐晃掩殺過去。

曹操的這個做法顯然是較為高明的。關雲長的戰意是不容懷疑的，倘若不能磨蝕他的戰意，儘管是兩面夾擊，也未必容易得到勝利的。

一路上，關雲長都聽到了不少關於荊州的不利的消息，他自己雖然不相信，但軍心已經開始動搖。接下來，與徐晃交戰，一來對方也是個強手，二來因為右臂受毒箭所傷，還未痊癒，故也得退走；與此同時，曹仁也殺出樊城，直逼關雲長，頓使關雲長處於劣勢。

荊州的消息出奇地好

關雲長急於找一個地方安頓下來，最理想的，自然是得以返回荊州了。他所帶的都是荊州士兵，荊州有失，自然都惦念着荊州的家屬與親朋了，可是，自荊州

來的消息卻是出奇地好，呂蒙待關雲長的家屬固然極為不錯，便是對關雲長手下士兵的家屬等，也是相當不錯的，除了按月給予糧餉外，生了病的，都得到醫治。

原來，這也是呂蒙的計謀之一，因為，這末一來，關雲長的部屬，都沒有了戰意。戰意，許多時候，是由敵意而引起的，呂蒙那樣做，便是很有效地降低了關雲長部屬的敵意，使他們不曉得為甚麼而戰，事實上，在路上，關雲長部屬的將士便有不少是逃回荊州去的。

將士心態倒退與下降

一般的將士，很容易只是瞪住眼前的利益，荊州的主人雖然易手，但其他的一切幾乎都沒有改變，加上跟隨關雲長征戰樊城已有一段不短的日子，在返回荊州的路上更容易興起了思家之情，如果前面是大開方便之門的話，他們便難以抗拒，紛紛的找機會跑回去了。

當關雲長到了麥城這一個小地方暫駐的時候，手下只餘五六百人，這末一個變化，對關雲長來說，確是很大。劉備先取西川，後取東川，關雲長都只是留守荊州，相對起來，那兒日子太平，並無戰事。養尊處優，這對一般的將士而言，都不是好事。最為關鍵的，可以說是將士們的心態了，他們或者會因為這樣的日子而漸漸退回到與平民心態頗為接近的境地，那就是戀家，戀

愛平常的日子，溫情的部分多了起來，這樣上戰場，順利的時候還不怎麼樣，一旦遇上了挫折，那種驅之不去的心態便會乘着這個機會上升，再加上呂蒙的攻心之策，便一下子崩潰了！

▍剛而自矜①故會生此禍

我們所說的狀態，與心態的關係是十分的密切的。心態、狀態又會大大地影響着我們的素質。這完全是因為，人是感情的動物。有的時候，一些人能很快地完全地變了形，就是心態或狀態作祟。心態受到了激發，狀態大勇，有的人便彷如脫胎換骨了；反之，心裏的一股東西受到消磨（例如壯志消磨），一個精壯的人也會倒了下去，甚至再也站不起來。

到了最後，關雲長要乘夜離開麥城，到西川去請救兵，身邊的人勸他走大路，因為小路必有伏兵，可是關雲長不接受，他說：「雖有埋伏，吾何懼哉！」這是由於關雲長太過自信、也是絕對不能屈所致，後來關雲長終被孫權所殺，知道了他的死訊後，孔明勸解劉備的話中，有這樣的一句：「關公平日剛而自矜，故今日有此禍。」孫權本來也愛惜關雲長，但知道關雲長不會降服，結果便殺了他。

一個人當然是不可能事事俱到的，但這也恰恰說明

了，每一個人的失敗，都自有其內在因素，便是關雲長也不能例外。

傳令徐晃急速出戰！

報！呂蒙白衣渡江，偷襲荆州成功！

是！

魏王令你急速出戰。

是！

曹操又親率大軍，救援樊城。

是！

你倆打着我的旗號進兵！

徐商、呂建來到開平寨前挑戰。

徐商、呂建兩將敗逃。

將軍，後寨突然起火！

不好！中徐晃的計了！

賢侄，你荊州已被東吳奪了。

關平急忙退兵，被徐晃率軍截住。

休得胡說！

那你去荊州看看！

關平無心戀戰，奔向廖化營寨。

不可能！

聽說荊州已失，可是真的？

174

徐晃乘勝攻擊，又奪取了廖化的營寨。

這是敵人造謠！

傳說荊州失守，軍心動搖，這怎麼辦？

報！徐晃在寨外挑戰！

我親自出陣！

關平、廖化逃回關羽大寨

誰能取得關羽首級，重賞千金！

你怎麼講這種話？

是啊！你也老了！

幾年不見，沒想到將軍鬍子都花白了！

兩人過去交情不薄。

今天是國家大事，我不能因私廢公！

兩人大戰八十合，關羽箭瘡未癒，使不出力，未分勝負。

曹仁殺出城，夾攻關羽。

你們荊州已被人奪了！你們荊州已被人奪了！

撤守襄陽！

軍心動搖，棄寨退逃。

關羽率軍渡過襄江，緩緩向襄陽而去。

報！呂蒙奪了荊州，家眷被陷！

啊！

關羽率軍奔向公安。

報！公安傅士仁、南郡糜芳已投降東吳！

咴咴咴咴卜──

箭瘡迸裂，跌下馬來。

王甫,啊,王甫!
我後悔沒聽你的
話,中了奸計!
如今失了荊州,
我還有何臉面去見
兄長!

父親,
你醒醒!

事已至
此,只
得一面
派人向
成都求
救,一
面反攻
荊州。

只有這
樣了!

179

我看反攻荊州沒甚麼希望，不如棄了荊州，向川中撤退。

胡說！兄長把荊州托給我，荊州就是我的死地！

第二天，他率軍向荊州進發。

關羽連夜派馬良、伊藉前往成都求援。

180

前有吳兵，後有魏兵，救兵又不來，怎麼辦？

關羽派使者前往荊州。

軍心渙散，不斷有兵士開小差。

呂蒙會和將軍約盟共破曹操，現他背約，將軍可派人去責備他，看他如何回答。

好吧！

181

183

關羽怒火交加，收拾殘軍，向荊州疾進。

蔣欽在此，關羽快快投降！

丁奉、徐盛又率軍殺來！

關羽，你逃不了啦！快投降吧！

殺！大丈夫拼死疆場。

關羽手下只剩三百多人。

父親，快跟我突圍！

關平、廖化殺入重圍。

他們合力殺出重圍。

現在也只能如此了！

這裏離麥城不遠，不如暫時去那裏等待援兵。

185

這裏離劉封、孟達鎮守的上庸很近，可立即派人前去求救。

他們剛進麥城，東吳軍隊追來圍住了城。

誰能突圍前去？

我去！

廖化突圍而去！

廖化見到劉封、孟達。

關將軍敗走麥城，請火速前去救援！

劉封、孟達見死不救，拒絕出兵！

你們兩個畜牲，漢中王饒不了你們！

廖化無奈，只得遠往成都搬救兵！

報！東吳諸葛瑾求見！

放他進來！

援軍不到，城內糧盡，關羽十分焦急。

城破無非一死，我決不投降！

我奉吳侯之命，來勸將軍歸降！

諸葛瑾失望離去。

就是有埋伏，我怕甚麼？

小路有埋伏，還是走大路好。

關羽決定留王甫、周倉守麥城，自己率軍從小路向西川突圍。

半夜，關羽率軍悄悄出了北門。

190

走了二十餘里，東吳大將朱然率軍殺來。

關羽趁早投降，免你一死！

關羽拍馬舞刀，迎戰朱然。

四下伏兵殺出。

關羽不敢戀戰，突圍而去！

走了不遠，東吳大將潘璋領兵殺出。

只三個回合，關羽便殺敗潘璋。

父親，趙累已死在亂軍中。

唉！想不到我一世英雄，今日如此慘敗。

關羽手下只剩十多名騎兵。

我開路，你斷後！

好！

天快亮時，來到決石山。

一！二！鈎！

關羽落馬被捉。

關平趕來相救，也被擒住。

關羽這樣的英雄，是我所喜愛的，我想招降他！

主公不要忘了曹操招降關羽的教訓！

嗯！這話很對！

孫權終於殺了關羽父子。關羽時年五十八歲！

周倉拔劍自刎。

王甫得到關羽死訊，自殺身亡。

孫權佔領麥城，荊襄之地全爲孫權所有。

196